KB103285

# 나, 자유

# 나, 자유

한희, 김혜종, 박민수
박지경, 박진순, 이정인
이지영, 하정

나, 자유

**발행** 2023년 11월 24일
**기획, 편집** 한희

**저자, 사진** 한희, 김혜종, 박민수, 박지경
박진순, 이정인, 이지영, 하정

**표지 디자인** 한희
**펴낸이** 한건희

**펴낸곳** 주식회사 부크크

**출판사등록** 2014.07.15.(제2014-16호)

**주소** 서울특별시 금천구 가산디지털1로 119
SK트윈타워 A동 305호

**전화** 1670-8316

**이메일** info@bookk.co.kr

ISBN 979-11-410-5499-1

**리얼스쿨은**

자신의 진짜 모습을
찾을 수 있도록 돕습니다.

감정, 가치, 강점을 찾아 떠나는 여행을
함께하며 길고 긴 시간 동안 믿고 의지할 수
있는 버팀목 역할을 하고 있습니다.

https://realschool.modoo.at/

# 목차

## 책을 펼친 모든 분께

한희

글을 쓰고 싶다고 얘기하시는 분들은 말합니다.

" 내 이야기를 글로 쓰면 12권짜리 전집이 될 거야."

저는 그런 말씀을 들을 때마다 '삶의 이야기를 글로 옮기기만 하면 되겠다. 출판하는 일만 남았네.'라고 단순하게 생각했어요.

하지만 글쓰기 수업을 하면서 그 말 안에는 수많은 두려움이 숨어있다는 것을 알았습니다.

' 다른 사람들이 내 글을 좋아하지 않으면 어쩌지?'

' 난 글재주가 없는데...'

이런 생각들로 아직 펜을 들지 못하는 분들께 꼭 전하고 싶습니다.

“ 일단 쓰세요. 누구 보라고 쓰지 말고 내가 보기 위해 쓰세요.”

이 책의 글들은 모두 나를 기억하기 위해, 나의 삶을 돌아보기 위해 기록한 것입니다. 하지만 우리의 기록이 당신의 삶에도 작은 변화를 주기 바랍니다.

모든 이의 삶은 하나로 통한다고 믿으니까요.

첫 번째 자유

# 김혜종

인간은 자신이 가치 있다고
느낄 때에만 용기를 얻는다.

- 알프레드 아들러

## 여는글

그 문은 언제나 활짝 열려 있었습니다. 내가 들어갈 용기와 엄두가 안 났을 뿐이지, 마침내 용기 내 한 발 내디뎌 봅니다.

'어머! 이렇게 감촉이 좋을 줄이야.'

편안한 공기가 나를 감싸 안아 적당한 자리로 이끌었습니다. 양옆 앞뒤를 둘러봅니다.

처음엔 낯설어 눈빛 교환이 어색했지만 이내 정겨운 표정의 얼굴로 바뀝니다.

서로의 이야기를 조심스레 꺼내 놓습니다. 그 이야기들이 문자로 하나하나 보석처럼 줄에 꿰어집니다.

마침내 나에게서 자유로워져 세상으로 나갈 이야기가 되었습니다.

미성숙한 저의 이야기를 진심 어린 마음으로 들어주신 선생님과 글쓰기 반 친구분들께 감사 드립니다.

# 1. 상사화

상사화라고 하네.

꽃이 피면 잎은 지고 잎이 나면 꽃은 숨어버리는

한 몸으로 있지만 일생을 만난 적이 없는 꽃과 잎.

처음 봤을 때부터 왠지 마음이 끌려 찰칵!

인생의 모습과 닮아서일까?

뭐가 됐든 간절한 것 중 많은 것은 어긋나기 일쑤였지

## 2. 일상

쫓고 쫓기는 일상에 오로지 페달 밟느라 놓쳐버린 소중한 것들
눈보라를 헤쳐 나가는 동안에도 혼자인 줄 알았건만
내 옆에 친구가 함께 했었네.
귀한 인연이다.

## 3. 궁평항 노을

닥치고 일단 멈추실게요.

김 여사! 이 풍경 하나만 해도 오늘 하루 건진 거야

## 4. 스무살의 창

달곤 한 오수에 조으는 나를 창이 부른다.
하면 거기엔 봄빛 아지랑이 같은 그리움이 오르고
저절로 시려오는 눈망울엔 고운 추억이 스민다.

수절아낙의 소복이 더욱 청초한 이 새벽,
창이 나를 부른다.
하면 거기엔 그리 진했던 삶의 오뇌가 하찮은 양 물
러가고
청빈한 가슴속에 이슬 먹은 별 하나가 머문다.

서러워 차마 고개 못 올리는 황혼 녘,
후조가 되어 창으로 향하면
거기엔 가면스런 번잡이 아닌
참으로 포근한 오랜 고독이 나를 침잠시키고
온 세상 버금가는 나름의 우주가 열린다.

빨려들 듯 짙은 심해 밤으로의 창에 서서
까아만 하늘가 터져버린 불꽃처럼 스러진 하루를 찾아 헤매이다, 오만했던 그 시간을 용서받지 못한 오열 끝엔
또 다른 새벽이 다가온다.

이 시 한 편이 스무 살 그 달콤 쌉싸름했던 시절로 나를 순간이동 시켜 주었다.

인생이 아직은 기대에 차 있고 앞날이 희망으로 가득했던 스무 살 풋풋했던 시간들이 스크린을 보는 것처럼 생생하다.

회사 동료로 만나 지금은 가족과 같은 진숙이와 정희, 그 셋이 쏘다니던 명동거리도 눈에 선하고, 퇴근 후 음악다방에 앉아서 DJ에게 음악을 신청해놓고 쌉싸름한 커피를 홀짝이며 세상을 다 아는 양 조잘조잘 수다가 끝이 없이 이어지기도 했다.

그렇게 하늘에 떠 있는 풍선마냥 달떠있고 행복해

보이기만 했던 어느 하루, 그날은 내가 아주 감상적이었나 보다.

고요한 사무실, 혼자 있던 시간에 창밖을 보며 끄적인 시 한 편을 동료인 정희에게 주었는데 그것을 곱게 타이핑해서 이제껏 간직하다 나에게 돌려주었다.

그날 나는 창을 바라보며 돌아가신 아버지를 생각했었나 보다. 내가 중2 때쯤 아버지가 돌아가셨으니 남은 우리 다섯 식구의 삶은 절대 녹녹하지 않았던 것 같다. 그래서 더욱 아버지가 그리웠나 싶기도 하다. 그때는 돌아가신 분의 빈소를 한동안 집에 모셔 놓고 상식이라 하면서 식사를 올려드렸는데 소복을 입으신 엄마가 이른 새벽에 아버지 빈소에 식사를 올리는 모습이 나에게는 상당히 애잔한 모습으로 남아 있어서 그 느낌을 표현했던 것 같다.

꿈꾸듯 창을 바라보며 앉아있는 스무 살의 소녀가 지금의 내 가슴에 살포시 내려앉는 오늘이다.

## 5. 고마운 사람

칠십을 몇 년 안 남긴 지금이 좀 믿어지지 않는다. 우여곡절, 산전수전, 공중전? (인생 최극강의 내공) 흔히 인생을 많이 살았다고 생각하는 사람들이 자신의 인생살이를 평가할 때 쓰는 말이다. 어느 인생이 꽃길만 걷는 인생이 있겠는가. 각자가 놓인 상황에서 남이야 뭐라고 하든지 내가 우여곡절이면 우여곡절이고 산전수전, 공중전이라면 그런 것이다.

나도 수많은 우여곡절을 겪으며 살아온 인생임이 틀림없다. 그렇지만 이제 다 지난 시간이고 또 용케도 잘 견뎌 왔다고 생각한다. 그러나 나 혼자 힘으로만 견딘 것은 아니다. 한 치 앞도 안 보이는 인생의 모퉁이를 돌 때마다 '짠'하고 나타나서 격려해주고 물심양면으로 도와주었던 고마운 분들이 있었기 때문이다. 물론 가족은 말할 것도 없고 많은 고마운 분들이 있지만 그분들의 이야기는 내 마음에 저장키를 눌러 저장해놓았다.

내 인생의 가장 흑역사이면서 고통스러웠던 오십대를 지근거리에서 함께 해준 고마운 언니가 있다. 나와 여섯 살 차이니까 언니도 칠십 중반을 살고 계시는 중이다.

내 경험상 일단 사람이 어려움에 처하게 되면 주변 사람 중에는 은근슬쩍 조언한답시고 그 사람 인생 자체를 비난하며 평가하려 드는 사람이 있다. 그리고 자기 말에 수긍하며 고분고분 따르지 않으면 남들에게도 흉을 보며 자기의 뜻이 옳음을 증명하려 한다. 실패로 인해 자존감은 흔적도 없고, 절망과 좌절감으로 어찌할 바 모르는 그 상태를 더욱 비참하게 만드는 그런 사람도 있다.

물론 어려울 때일수록 진심 어린 따끔한 충고는 필요할 수도 있다. 그러나 이렇게 처참하게 무너져 주저앉아 있는 사람에게는 한 방의 어퍼컷이 되고 그로 인해 영영 회복할 수 없는 상태로 될 수도 있다는 생각이 든다. 그럴 때는 최소한 기댈 것이라도 주어 숨이라도 쉴 수 있게 해 주는 것이 훨씬 더 힘이 될 것 같다.

음식점을 하다가 이런저런 사정으로 빚만 잔뜩 남긴 채 폐업하게 되었다. 그날 이후 빚 독촉과 또 어떻게 살아야 할지 앞이 캄캄해 있을 때, 언니는 처해있는 그대로 나를 보며 위로하고 격려해 주었다. 새벽이면 하루가 시작되는 것이 지옥 같아서 베란다를 보며 나쁜 생각도 했었고 현실이 감당하기 어려워 포기하고도 싶었지만, 그때마다 언니의 지지와 격려로 하루하루를 견뎌왔던 것 같다. 언니는 무려 십여 년을 물심양면으로 도와주어 내가 평정을 찾을 수 있게 해주었다. 그러면서 하나하나씩 해결해 나가 지금은 신용도 회복되어 건강한 사회인으로 다시 살아갈 수 있게 되었다. 내 인생에 언니가 없었다면 어떻게 되었을까 생각해 본다. 그리고 나는 또 누군가에게 그런 언니가 되어 준 적이 있는가도 생각해

본다.

 나에게 있어서 언니는 영웅이자 은인이다. 앞으로도 영원히

## 6. 시체 냄새 이야기

지나온 시간의 기억들 대부분은 나의 마음 어느 곳엔가 꾹꾹 눌러 담아 놓았나 보다.

글쓰기 수업에서 학창 시절의 이야기를 나누는 중에 생각지도 못한 이야기가 기억 창고에서 불쑥 튀어나왔다.

새마을운동이 한창이던 때에 나는 학창 시절을 보냈다. 중학생이었던 걸로 기억난다. 그때의 학교생활은 지금의 학생들은 상상도 못 할 과제가 많이 있었다. 예를 들면 밀가루 먹기 장려 운동과 쥐꼬리 잘라 오기, 회충이 하도 많아서였는지 채변봉투 내기 등 (재미있게도 그때 나눠준 회충약을 먹으면 온 세상이 노랗게 보였던 기억이 난다) 이런 과제가 일상이었다.

그러던 어느 날, 특활시간이었다. 나무젓가락과 봉투

를 들고 송충이를 잡으러 학교 뒷산에 올라갔다. 그놈의 송충이가 너무 징그러워서 잡을 생각은 엄두도 못 내고 오히려 송충이를 피해 다니며 숲속을 어슬렁거리고 있었다. 그런데 어디선가 이제껏, 내 평생 단연코 한 번도 맡아본 적 없는 역한 냄새가 나기 시작했다. 무슨 냄새인가 싶어 주변을 두리번거리는데 나에게서 스무 발짝 남짓 앞에 사람의 시체라는 것을 직감적으로 알아볼 수 있는 물체가 있었다. 허름한 거적때기 같은 것으로 덮어 놓았는데 그 밑으로 시커멓게 변질된 남자의 발이 삐죽 나와 있었다. 지독한 냄새와 함께 파리떼가 윙윙거렸고 주변에 있던 몇몇 친구들과 나는 혼비백산 상태로 학교로 돌아왔다. 그 이후의 조치는 기억나지 않지만, 한참이 지나 일상으로 돌아온 뒤였는데도 그 지독한 냄새는 여전히 내 코끝을 맴돌고 있어서 밥도 잘 못 먹으며 고생했던 기억이 생생하다.

분명히 냄새의 원인은 없어졌는데 왜 계속 냄새가

났을까? 냄새는 코로만 맡는 게 아닌 마음 어딘가에 기억되는 건지도 모르겠다. 고약한 냄새의 기억과 함께 그 산에 있던 시체가 함께 소환되는 것을 보니 달콤했던 냄새 또한 머무르고 싶을 만큼 아름다웠던 순간으로 데려다줄 것 같다.

어디 냄새뿐이랴! 귀로 들었던 절절했던 음악과 눈에 한가득 담아 놓았던 잊지 못할 풍경들도 귀에서나 눈에서는 멀어져 왔어도 마음 한편 어딘가에 고이 간직되어 그리울 때면 언제나 꺼내 볼 수 있어서 얼마나 다행인가.

푹푹 찌는 무더위 속이지만 청명한 파란 하늘이 이쁜 오늘 내 마음속 보석상자를 이리저리 뒤적여 본다.

# 7. 교차로에서

한여름 정오.

햇빛이 너무 강렬하여 찡그리며 하늘을 본 순간, 공사장 높다란 팬스 너머를 구경하려고 안간힘을 쏟으며 겨우 매달려 있는 초록 덩굴 너와 눈이 마주쳤다.

너의 세상과 내가 서 있는 이곳이 불과 서너 발짝 사이 같은 땅 위에 있지만, 높은 담장으로 막혀 있어 그곳과 이곳이 서로 알 수 없는 세상이 되어 버렸네.

담장 저쪽 내가 가보지 못한 그곳으로 넘어가고픈 불안한 유혹으로 가슴이 두근거린다.

너도 나와 같은 이유로 그렇게 높은 담장 위로 삐죽이 고개를 내밀고 있을까?

뿌리를 단단히 내려 움직일 수 없는 내 삶과 너의 모습이 많이 닮아있구나.

## 8. 정체성

나는 누구일까

확실한 한 가지, 여자이다

그리고는 정체성이 모호하다

여러 상황 따라 달라지니 말이다

젊은 시절에는 뚜렷한

개성도 없고 특별한 것 없는 내가 싫었다

나이가 들고 보니 지금

이 모습도 썩 괜찮다.

굳이 정리하라면
좋은 게 좋은 것이 나의
정체성이다.

## 닫는글

만남　 - J.R.모레노 -

눈과 눈, 얼굴과 얼굴, 그래서 네가 가까이 있을 때 나는 너의 두 눈을 내 눈 속에 넣고 너는 나의 두 눈을 네 눈 속에 넣을 것이다. 그러면 나는 너의 눈으로 너를 바라보고 너는 나의 눈으로 나를 바라볼 것이다…. (중략)

오늘따라 이 시구가 마음에 와닿습니다.

'나를 발견하는 글쓰기' 수업에서 나를 발견하고 또 너를 발견했기 때문입니다.

여름내 글을 쓰기 위해 끙끙거린 기억밖에 없는데 가을의 문턱에서 볼품없는 글이지만 나름의 결실을 보게 되어 무한 기쁩니다.

닫는다는 것은 어딘가로 또 열릴 것을 기대할 수 있기에 한 걸음 나아갈 준비를 해봅니다.

# 박지경

당신이 나에 대해서
알고 있다고 생각하는 것의 대부분은
그저 당신의 프레임 속의 허구이다.

- 박지경

## 여는글

당신은 나에 대해서 잘 모른다. 당신이 안다고 생각하는 나에 대한 나이, 이름, 성별, 키나 몸무게(이건 알 수 없겠지만), 인종이나 머리카락 색깔, 내 생김새는 몇 안 되는 사실일 수 있다.

그러나 당신이 나에 대해서 안다고 생각하는 나의 집안, 성격, 생활패턴 그리고 나의 사상과 생각과 아픔은 당신이 모르는 것들이다.

나는 당신이 그렇게 생각하도록 노력해 왔다는 것을 이제와 고백한다. 평범하고 싶었고, 사랑받는 아이나 여자이고 싶었고, 정신적으로 문제가 없는 사람이고 싶었다.

그래서 나는 이렇게 글을 쓰기 시작했다.

## 1. 믿음

"신은 이겨낼 수 있는 시련만을 주신다."

신을 믿지 않는 내가 믿고 의지했던 말이다. 이 명언을 알기도 전부터 끝도 없는 인내를 배웠지만 이 말을 알고 난 후부터는 희망이라는 단어를 떠올릴 수 있게 되었다. 시련은 결과가 아니라 과정이니까. 과정은 기간의 길고 짧음은 존재하지만 영원할 수 없는 시간의 부분이니까.

## 2. 아는 귀신

나는 어린 시절부터 겁이 많았다. 눈도 작은 애가 무슨 겁이 그렇게 많냐는 이야기를 곧잘 듣곤 했다. 남자 어른들이 옆으로 지나가면 움찔했고 저 멀리 나를 피해 달아나는 고양이를 보고도 나는 기겁을 했다. 지금도 개냥이가 친근감의 표현으로 곁으로 와 내 다리를 한 바퀴 쓱 돌아 나가면 온몸의 털이 곧 두 서는 게 느껴진다. 깜깜한 밤에는 울면서 깬 기억이 많았고 천둥소리와 번개 빛에도 잠을 설치기 일쑤였다.

그런 나에게 시골 할아버지 댁은 두려움 자체였다. 할아버지 댁은 문화재 보호구역 같은 멋스러운 한옥은 아니었지만 50년도 넘은 옛날 한옥으로 안채와 사랑채가 분리되어 있었고 화장실은 사랑채를 지나 축사 옆에 있었기 때문이다. 서울 우리 집 화장실에

길들여진 나는 할아버지 댁에 가면 물 마시기를 두려워했다. 한밤중에 화장실에 가기란 놀이동산 귀신의 집에 가는 것만큼이나 무서웠기 때문이다. 그러나 그런 시간을 또 어김없이 온다. 나는 온몸을 비틀고 오줌을 참고 있었다. 나보다 세 살이나 어린 여동생이 그런 나를 보더니 "에휴~ 따라와~"하면서 옷가지를 챙겨 문밖 대청마루에서 나를 기다리고 있었다. 나는 이때다 싶어 얼른 동생 뒤를 따라나섰다.

동생이 물었다. "언니, 언니는 귀신이 무서워?"라고 말이다. 난 눈이 동그래져서는 "그런 넌 안 무서워?" 그랬더니 동생은 아무렇지도 않다는 듯 나에게 말했다. 나는 그날 동생의 말을 듣고부터는 귀신이 무섭다고 생각하지 않게 되었다. 오히려 귀신을 만나면 한번 물어보고 싶은 마음으로 바뀌었다.

"귀신이 뭐가 무서워? 엄마도 귀신이고 할머니도 귀신인데... 귀신을 만나거든 나 아는 귀신 많다고 그래. 그것도 나를 너무너무 사랑하고 아끼는 귀신이 많다고.”

언젠가 한 번은 꼭 엄마귀신을 만나보고 싶다. 이제는 편안하신지 묻고 싶다.

## 3. 치매라는 축복의 병명

그는 어린아이보다 말간 얼굴로 또 묻는다. “여긴 병원인 것 같은데, 내가 왜 여기 와 있지?”

“응, 병원이야. 잠시 검사 받으러 온 거야” 나는 깊게 설명하지 않는다. 30분만 지나면 또 비슷한 질문을 할 것을 이미 알기 때문이다.

인류가 두려워하는 질병인 치매가 아버지에겐 축복인 것 같다. 이곳 성북동 암센터병동에서 가장 행복한 환자는 아버지다. 진료나 검사를 앞두고 모두들 좌절과 슬픔의 얼굴을 하고 있지만 아버지는 웃음을 잔뜩 머금은 얼굴로 장난을 치다가 이내 기다림이 지루해 그만 가자고 조르기 일쑤다. 그는 몸 안에 퍼진 암조직도 잊었고 아픔도 슬픔도 기억에 없다. 10년 전에 돌아가신 할아버지도 21년 전에 돌아가신 할머니도 전북 장수군 옛날 집에서 본인을 기다린다고 굳게 믿고 있다. 그렇기에 어여 그곳에 가서 강가에 나가 투망을 크게 펼쳐 민물고기를 한 움큼 잡아 고추가루 뿌려 지져 먹을 생각에 자꾸만 차편을 알아봐 달라고 한다. 나는 적당한 말로 둘러댄다. 너무 춥거나, 너무 덥거나, 눈이 오거나 비가 오거나, 일이 바빠서 주말까지 기다려야 한다고 말이다. 아주 그럴싸한 거짓말일 필요도 없다. 오늘 저녁이나 내일이 되면 그는 다시 차편을 물어올 것이 뻔하기 때문이다.

진료를 마치고 돌아오는 길에 빽밀러로 보이는 뒷좌석에선 어느새 새근새근하게 자고 있는 그를 바라본다. 매일이 새로운 삶, 늘 새로운 길을 가고 새로운 사람을 만나고... 죽음이 갈라놓아 슬픔으로 헤어진 가족들도 늘 같이 살아 숨 쉬게 만드는 이 병을 나는 미워할 수만은 없을 것 같다.

## 4. 욕망

아무리 쥐어짜도 더 이상 크림이 나오지 않게 되면 나는 가위를 찾아 반을 가른다. 그러면 생각보다 많은 양의 크림이 알루미늄 튜브안에 있어 항상 놀랍다. 튜브형 제품은 젖 먹던 힘까지 아귀힘을 쥐어짜 보지만 내용물을 끝까지 토해내는 법이 없다.

그게 스물다섯쯤이었을까? 서른쯤이었을까? 그 시기를 전후로 나는 더 이상 창피함을 느끼지 않게 되었다. 남들은 쓰레기통에 버리는 다 쓴 화장품통의 배를 가르고 그 안의 남은 내장까지 꺼내 쓰는 기분을 결코 들키고 싶지 않은 가난의 증거물 같이 느껴지던 시절이 있었다. 집 밖으로 들고 나가지 않으려고 애썼지만 형편상 2개의 구매가 허용되지 않아 재빨리 숨겼던 기억이 있다. 언제부터인가 절약하는 소비습관과 환경보호라는 큰 이미지로 포장을 하고 타인의 시선에서 자유로워진 것 같다.

그러나 사실 그것은 시대의 변화도 멋진 인류애라는 명제가 만들어 낸 것도 아니다. 여유로움의 차이라고 하는 편이 맞는 것 같다. 가질 수 없는 것과 갖고 싶지 않은 것의 차이. 더 이상 가격을 떠올리고 지갑이나 통장의 숫자를 헤아려볼 일이 없어진 것과 비슷한 궤도를 갖는다. 한 개가 아니라 열 개 스무 개라도 살 수 있지만 굳이 그럴 마음이 들지 않는 것이다.

쇼핑은 필요한 물건을 사는 것이 아니라 욕망을 사는 것이라고 했던가? 주변에 지천으로 널린 언제든 가질 수 있는 것에 욕망을 품는 사람은 없을 것이다. 갖고 싶다는 말은 쉽게 가질 수 없다거나 혹은 갖기 어렵다는 말을 대변하는 것이다. 그것은 꼭 물질에 해당하지 않는다.

지금 내가 갖고 싶은 것이 있는가? 지금 내가 느끼

는 결핍은 어떤 물건인지, 마음인지, 상황인지 알 수 있도록 말이다. 그래야만 잠시 헛헛함을 잊게 해줄 대체제가 아니라 진정 갖고 싶은 것을 손에 넣을 수 있을 것이다.

## 5. 신을 믿지 않는 자의 기도

내 곁에는 신에 애달아하는 사람들이 생각보다 많다. 갑자기 전화를 걸어와 각종 문화행사에 가자고 하거나 종교적인 색채가 없는 책이라며 내 의사와 상관없이 덥석 책을 안겨주곤 한다. 수십 년을 속아 왔지만 나는 다시 행사에 참석하거나 준 성의를 생각해서 책장을 넘기곤 한다. 그러나 언제나 결과는 똑같다. 씁쓸한 미소가 쓴맛으로 남는 기억만을 남겨 줄 뿐이다.

그들은 정말 신을 사랑하는가? 하는 의문형이 남는다. 사랑하고 소중한 것은 남하고 나눠 갖고 싶지가 않던데.. 하는 나의 생각의 끝자락에선 이해가 되질 않는다. 그것이 하나님이던, 부처님이던 또 다른 종교이던 그 성인들은 왜 싫다고 분명한 의사 표현을 한 사람들에게 조차 끈기를 잃지 말고 지속적으로

괴롭히면서 포교 활동을 종용하는가? 물론 그들이 아니라 그들을 믿는 사람들이라는 것을 나는 알고 있다. 그 이면에는 영리적인 목적이 전혀 없지 않음도 말이다.

나는 신을 믿지 않는다. 아니 신은 없어야만 한다. 전지전능한 신이 현재에도 엄연히 존재하면서 내가 살아가는 세상에 각종 테러와 전쟁이 일어나선 안 된다. 가뭄과 홍수와 태풍과 지진으로 죄 없는 사람이 다치거나 죽고 고통받아서는 안 된다. 신이 그것들을 일으키거나 방관해서는 안 된다고 생각한다. 전지전능하다는 그는 직무 유기가 아닐까?

그런 거창한 이유가 아니더라도 신은 내게 존재할 수 없다. 나에게서 꿈과 희망을 앗아 가서는 안됐고 어린 나이에 엄마를 빼앗아 서는 안됐으며 그 가여운 그녀를 평생 삶의 시름 속에 살게 하다가 병으로 목숨을 걷어 가서는 안 될 일이었다. 치매도 모자라 방광암으로 투병을 시작하게 된 아버지마저 신의 이름으로 말할 자격이 없다.

그들은 왜 그리 애달아하는가? 신의 축복을 전해주고 싶다고 내게 말하는 그들을 나는 신뢰하기 어렵다. 그들 역시 삶의 굴레에서 힘겨워하는 것이 너무나도 여실히 보이기 때문이다. 행복해 보이지도 즐거워 보이지도 않고, 나의 번번한 거절에 태연해 보이지도 않는다. 그들에게 주어진 그 한정된 시간을 내가 아니라 그들에게 더 소중한 가족에게 그리고 자신에게 할애했으면 하고 나는 믿지 않는 신에게 기도 드린다. 나를 위한 기도가 아니라 그를 믿는 애처로운 그들을 위함이니 믿어주지 않으실까 싶기 때문이다.

## 닫는글

다시금 출근 버스와 지하철에 몸을 싣게 되었다. 출근이 하기 싫고 힘들었던 기억은 없었다. 어린 시절엔 등교하는 시간이 너무나 즐거웠다. 오히려 방학이 된다는 것이 더 싫었던 것 같다. 회사를 다니는 중에도 월요병을 앓거나 지각을 해 본 적이 없다. 사실 나 스스로 지각을 한 적이 나는 단 한 번도 없다. 남들과 다르지 않다는 것을 증명하는 길은 등교와 출근이었던 것 같다. 학교와 직장생활이 아름답기만 한 것은 아니었다. 하는 공부와 일은 늘 결과가 좋았고 즐거웠다. 그러나 그 안에 사람과 부딪치는 일이 너무나 고되었다. 사람이 늘 너무나 그리웠으나 그 사람들로 너무도 아팠던 것 같다.

이제는 글을 쓰게 되었다. 가슴이 먹먹할 때, 설레일 때, 그리움으로 눈이 촉촉할 때, 펑펑 눈물을 쏟을 때, 그리고 다시 사람을 잃고 아파할 때에 나는 몇 줄의 글을 쓰고 나의 마음을 다시 들여다볼 수 있게 되었다.

내가 아팠던 것은 그 사람들이 아니라 나 때문이었다는 것을 깨닫는 데에는 1년이라는 시간이 걸렸다. 긴 시간인 것 같지만 사실 매우 짧은 시간이라는 것을 안다. 이제는 나를 있는 그대로 봐주고 예뻐하고 세상에 내놓을 용기라는 큰 백이 생겼기 때문이다.

## 세 번째 자유

# 박진순

"지난달에는 무슨 걱정을 했지?
그것 봐, 기억조차 못하고 있잖아.
그러니까 오늘 네가 걱정하는 것도
별로 걱정할 일이 아닌거야.
잊어버려 내일을 향해 사는거야“

- 생떽쥐베리 〈어린왕자 中〉

## 여는글

올여름은 정부 각처에서 유난히도 안전 대비 문자를 많이 보내왔다. 찌는 듯한 더위에 사건 사고가 끊임없이 뉴스에 나오고, 우리들은 불안과 걱정에 휩싸여 '각자도생'이라는 단어를 입에 달고 살았던 여름이다.

그 각자의 여름 속에서 내 할 일(글쓰기)을 한다는 것이 쉽지는 않았다. 여러 가지 핑계로 쓰지 못했지만, 이 또한 지나가리라 하는 마음으로 작심 글을 써 내려가니 안정감이 찾아왔다.

꾸미기보다는 있는 모양 그대로, 색을 덧칠하기보다는 날 것의 투박한 그대로의 모습이 정감 있게 다가옴을 느끼며 글을 메꾸어 나갔다. 나의 글들은 지금의 나로 충분히 잘살고 있음에 감사하며, 조금은 앞날에 대한 기대감으로 써 내려간 글이다.

한여름, 나의 글방을 방문한 모든 사람들에게 따듯한 위로가 되었으면 하는 바람을 전해본다.

## 1. 아침 기도

아침 묵상 기도는
바라는 마음과
바라보는 마음을
읊조리게 된다.

서로의 건강과 안녕을
두 손 모아 간절히
기도한다.

이 기도가 서로에게
힘이 되고
평안이 되길

## 2. 삼베 모시

씨줄 날줄이 엮이면서
자로 잰 듯
반듯하고 촘촘하다

가로 세로의 교차 속에
가지런한 옷이 되어간다

그 옷은 한 여름 무더위 속
그녀의 실바람이 되어
땀을 닦아주고

그 바람은 그녀의 마음이 되어
서로에게 닿기를
바라고 바란다

## 3. 여름 이불

엄마는 살아생전에 본인의 죽음을 준비하고자 수의로 삼베모시를 사 놓으셨다고 했다.

몇 년을 갖고 계시다가 내가 보험 상조를 들어놨다고 얘기하니 그 모시 천으로 여름 이불과 행주, 넓은 보자기를 만들어 주셨다.

모시 행주는 물이 잘 스며들어 짜기도 수월하고 햇빛에 말리면 짱짱한 느낌이 좋다.
모시 보자기는 찜기 위에 펼쳐 얹어 고구마를 찌거나 빵을 찔 때 유용하게 쓰인다. 또한 한 여름에 덮는 삼베모시 이불은 까슬까슬하고 특히 여름 장마에도 쾌적한 기분을 선사한다.

그 이불은 지금은 닳고 닳아 쪼글쪼글 해지고 볼품없이 기운마저 없어 보이지만 난 지금도 그 이불을 버리지 않고 곱게 펴서 이불장에 넣어두었다.

계절이 바뀔 때마다 이불장을 열면 엄마의 솜씨!
낡은 삼베 이불이 살포시 나를 바라보는 듯하다.
'우리 딸, 건강하게 잘살고 있지?'

환한 엄마의 미소가 떠오르는 한 여름날이다.

## 4. 우리 함께

지금처럼 너와 함께

꽃길만 걷고 달릴 수 있기를 기원한다.

## 5. 웃음 꽃

5월의 햇살은 언제나 싱그럽다.
그 햇살 속에 태어난 우리 딸은 말문이 일찍 트여 일상에서 여러 어록을 만들어내곤 했다.

가령 "우리 딸 눈썰미가 아주 좋네~" 하면
"엄마! 눈 속에서 썰매를 타는 거야?"

또는 피부가 까무잡잡한 친구가 놀러 왔다 가면
"엄마, 친구는 얼굴이 까만 쌀 같아!"라고 말하며
우리 가족에게 웃음을 안겨주곤 했다.

그날도 딸과 나는 외출하기 위해 준비를 서둘렀다.
우리는 소매 끝과 치마 끝단에 레이스가 장식된 하얀 긴 원피스를 커플로 입고 아파트 단지를 지나 정류장으로 향했다.

계단을 내려올 즈음

“엄마, 신발, 신발이?”

“응? 왜? 어디?”

발끝을 향한 아이의 시선을 보고 나는 이내 운동화 끈이 풀어졌음을 알아챘다. 허리를 구부려 끈을 단단히 매어주고 고개를 들었다.

마침 아이의 눈과 마주치며 나는 환한 웃음으로

“이젠 돼서 괜찮지?” 라고 물었다.

아이는 “응” 하고 답하며,

“근데 엄마 눈에 웃음꽃이 3개나 피었어요.”라고 말했다.

순간 나는 아이를 꼭 껴안았다. 햇살 속에 비추어진 푸른 계통의 아이섀도우와 웃을 때 생기는 주름살을 웃음꽃이 피었다고 말해주는 내 딸이 너무 사랑스럽고 고마운 마음이 들었다.

말의 의미가 이렇게도 아름답게 쓰일 수 있다는 게 참 신기했다. 세월이 흘러 더 깊고 많은 주름살이 생겼을 때도 웃음꽃이라 표현해 줄까?

아이의 손을 잡고 걷기 시작했다. 그날 우리 모녀는 푸른 하늘 아래 반짝이는 아이새도우와 활짝 핀 웃음꽃 속에 둘러싸여 행복한 시간을 보냈음이 분명했다.

# 6. 깨 볶는 날

참깨의 향이 솔솔!!

고소함도 솔솔!!

나도 어디서나

어우러지는

맛난 내가 되고 싶다.

## 7. 내 옆의 경자들

낮 12시 J경자와 점심
오후 3시 또 다른 J경자와 코스트코 장보기
저녁 9시 동탄 사는 C경자와 통화 후 다음 만남을 약속함

지난해 겨울 나의 다이어리에 메모된 글귀이다.
내 곁엔 유독 '경자'라는 이름을 가진 친구들이 많이 있다.
다양한 성씨를 가진 경자만큼이나 우리의 만남도 각양각색이다.

딸 친구의 엄마인 경자,
학교 후배인 경자,
교회에서 만난 경자

이외에도 스쳐 지나간 인연 중 문화센터에서 만난 K경자가 있는가 하면, 사회에서 만난 L경자, 한 병원에서 환자와 간호사로 만난 K경자까지

지금 생각해 보니 그들은 하나 같이 소중한 친구들이고 나에게 도움을 주는 친구들이다. 살림살이의 꿀팁과 알뜰한 정보로 귀띔을 해주는가 하면, 나이는 어리지만 단단한 의지와 우직한 심성으로 어른이 되어가는 중 나의 버팀목이 되어주기도 했다. 때로는 힘들고 지칠 때마다 맑은 심성과 고운 미소로 위로해 주기도 한다.

나는 이 모든 친구들을 신뢰하고 사랑한다. 고로 나는 '경자복'이 터진 사람이다.

내 옆의 경자들과 앞으로도 존중과 배려 속에 만남이 이어지길 소망한다.

글을 쓰고 있는 지금! 딸이 지나가며 말한다.
"내 남친 엄마 이름도 유 경 자 라고 하던데???"
"뭐! 뭐라고??"

이런 우연이...
이렇게 해서 내 옆에는 7명의 경자들이 살아가고 있다.

# 8. 기쁜 하루

일상 속 나를 느끼고

오늘의 나를 찾는다

## 9. 기대하지 않는 것의 기쁨

우리는 살면서 사람에 대한 기대, 사물에 대한 기대 등 보상 심리에 대한 여러 가지를 기대하고 산다.

‘내가 이번엔 밥을 샀으니 다음엔 상대방이 사겠지?’
‘할인한다고 해서 덜컥 사버렸는데, 괜찮겠지?’

하지만 나는 기대하지 않았을 때 우연히 찾아오는 소소한 기쁨에 관해 이야기하고 싶다.

저녁 무렵 산책길에 우연히 마주친 색색이 곱게 핀 이름 모를 꽃들을 보면서 잔잔한 미소를 짓는다. 가끔 들르는 우리 동네 작은 카페에서 커피와 함께 서비스로 나온 딸기를 맛볼 때 감사의 환호가 터진다. 딸기와 함께 먹으니 커피 맛이 그윽해져 행복한 웃음이 나온다. 딸이 대학 다닐 때, 기대하지 않았던 장학금이 나와 놀란 토끼 눈의 큰 웃음이 나왔다. 때론 겨우내 얼어있던 화분 속에서 빼꼼히 나오는 꽃망울을 보며 기특해서 한없는 찬사를 쏟아 내기도 한다. 세월이 지나면서 작은 것에 대한 소소한 기쁨들이 주변에서 다가올 때 참! 웃음을 짓게 되는 건 그 지나온 시간만큼 약간의 지혜도 생겼다는 것을 의미하지 않을까?

## 10. 맴맴

한여름 뙤약볕에

덥다고 아우성치는

매미는 맴맴!!

내 머릿속 생각들은

안으로만 숨어들고

빙빙 둘며 맴맴!!

## 11. 거실에 쏟아진 별들

친구야, 내 얘기 좀 들어봐봐

요즘 도시의 밤하늘에선 별을 보기란 그리 쉬운 일은 아닌 것 같애
어렸을 적, 별에 관한 동요의 가사를 보면
'반짝 반짝 비치네', '아름답게 비치네'로 묘사가 되었지

그런데 어느 날 우리 집 거실에 수많은 별이 쏟아진 거야. 무슨 의미인지 너무 궁금하지 않니?

담배를 피우는 남편의 필수품은 K은단과 사탕이야
꼭 주머니에 넣고 다니는 습관을 가지고 있지
아마 담배 냄새를 조금이라도 줄여보려는 의도일거야

혹시나 대중교통을 이용할 때 옆 사람에게 실례가 될까봐 챙기는 나름의 예의라고 해두자

그날도 남편은 약간의 취기와 기분 좋은 모습으로 귀가를 했어
물론 내 입에서는 쫑알쫑알 잔소리가 나왔겠지
그리고 남편은 주머니에서 소지품을 꺼내고 자기 방으로 들어가는 찰나
뚜껑이 반쯤 열린 은단 통에서 그만!

'좌르르륵!'

이미 내가 봤을 땐 은단들이 모두 쏟아지고 난 뒤였지 뭐야

얼어붙은 채 정적이 흐르고 있던 찰나
갑자기 남편이 중얼거리며 은단을 줍기 시작했어.

"별 하나, 나 하나"
"별 둘, 나 둘"
"별 셋, 나 셋"

그 후로도 남편의 별 새기는 한참 동안이나 이어졌단다. 아마 바닥에 떨어진 은단들이 남편 눈엔 까만 밤하늘에 반짝이는 은하수로 보였을지도 몰라.

처음엔 화가 났는데 그 모습을 보니 너무 천진난만하기도하고, 기발한 멘트에 배를 잡고 웃게 되더라고

너 같으면 어땠겠니?
너무 T.V시트콤 같은 상황에 우리 세 식구는 깔깔깔 웃으며 각자 잠자리에 들었단다
내가 얘기했어.
"자기야, 꿈속에선 진짜 별 만나 한아름 따다줘바"

## 닫는 글

한 겨울 눈이 펑펑 쏟아지는 날에도 얼음이 아삭하게 씹히는 냉면을 찾는 나는 요즘말로 얼죽냉 이라고나 할까? 그런 내가 폭탄 같은 올 여름을 버티기란 너무 힘들었다.

나, 자유!
말 그대로 자유롭게 글을 쓰려니 글의 범위가 산으로, 바다로 정신없이 오르락내리락 했던 것 같다. 나에겐 아직도 약간의 간섭과 제제가 필요함을 상기하게 되었다. 글을 쓰면서 지금의 나로 살게 하는 원동력도 얻게 되고, 조금은 마음의 폭도 넓어짐을 느끼게 되었다.

힘든 가운데 미소를 잃지 않고 지도해 주신 한희 쌤과 몽글몽글 피어나는 동료 작가님들의 사랑에 감사의 말을 전한다. 오토바이로 세계투어 중이신 K선생님께도 건강의 안부를 전하며 끝으로 책이 나올 때마다 물심양면으로 나를 응원해주는 가족들에게 감사함을 전한다.

네 번째 자유

# 이정인

♡꿈을 꾸는 삶이 있어
끝없이 도전하고 잠재된 나를
깨울 수 있다.

- 이정인

## 여는글

어릴 적부터 습관처럼 글 쓰는 것을 좋아했습니다.

여행, 낚시, 지나는 길에 자연 사물을 보면 벤치나 돌에 걸터앉아 글을 써서 동창회 카페, 밴드에 제가 쓴 글들을 올리곤 했습니다.

'나를 발견하는 글쓰기' 수업 참여와 한희선생님을 만난 것이 계기가 되어 좀 더 저에 대해 알고 싶어졌습니다.

소녀처럼 맑고 밝은, 선생님을 만나면서 그동안 꿈꾸었던 글들이 나만의 책을 엮어낼 수 있다는 희망을 주셨습니다.

꿈을 꾸면 이루어진다. R=VD 실현되었습니다.

여러분도 살면서 행복, 불행, 슬픔, 사랑, 했던

경험이 있을 겁니다.

이 책을 읽으시는 분들께 희망과 꿈을 드리고 싶습니다. 꿈은 이루어진다.

## 1. 아침 시작의 향기

아침의 향기는 카페라떼로 시작.

나를 위해 마신다.

'에티오피아는' 커피를 귀한 손님이 오면 세레머니로 커피를 낸다.

커피를 세잔 마시는 게 예의란다. 첫 잔은 우애, 둘째 잔은 평화, 셋째 잔은 축복을 담아 마신다고 한다. 이렇듯 커피는 우리나라에서도 없어서는 안 될 기호 식품으로 자리 잡았다.

## 2. 정상의 희열감

喜悅 [희열]

## 3. 아카시아

아카시아꽃은 숨을 들이쉬게 한다.

아카시아꽃은 소꿉친구의 향이다.

아카시아꽃은 달콤한 어릴 적 추억을 그리게 한다.

## 4. 내 맘의 무지개

새벽 발걸음은
잠이 덜 깨서인지
몸은 무겁소이다.

아침잠이 깨는
개천 물소리
아침잠이 깨는
이름 모를 꽃들
새들이 지저귀는 소리
모든 소리가 내 맘의 무지개입니다.

빨주노초파남보 일곱 색깔
내 맘은 무겁지만,
무지개처럼 예쁘고, 곱고, 환하게, 밝게
아침을 시작하려 합니다.

내 맘의 무지개처럼

사랑하는 모든 사람들 가슴속에

환하게 무지개가 핀다면

시작하는 아침이 가볍지 않을지!

## 5. 돛단배

파도를 헤치면서 돛단배는 움직인다.
어떠한 풍랑을 만나도 유유히 흔들거리면서
목적지를 향해 전진한다.

삶도 때론 풍랑을 만나고 때론 고요함을 흔들어 놓기도 한다.
낚시하면서 넓은 바다를 보기만 해도 마음이 후련하다.
낚싯대를 내리면 입질이 온다.
고기는 바보인가 보다.
넓은 바다 아래는 먹을 것이 많을 텐데!
인간의 덫에 걸려 달려 올라온다.
잡으면서도 고기한테 미안하다는 생각은 들지만
짜릿한 그 느낌!
푸른 바다 갈매기 끼룩끼룩 하늘 향해 날고
무더위는 어느새 사라진다.
바다처럼 넓고, 태평양처럼 마음도 넓게 살자.
세상을 보는 눈을 넓게, 모든 이를 용서하고,
사랑하고 용서를 빌고, 남은 생을 즐겁게 살자.
세상이 험난해도 세상 살맛이 난다.

## 6. 채송화 이야기

계속 내리는 장맛비 때문에 놀라서 채송화는 활짝 피웠던 꽃을 닫아 버리고 살포시 봉오리로 머물고 있다. 채송화는 때리는 장대비에 흠뻑 젖어 반짝반짝 물방울을 매달았다.

어릴 적 추억이 있던 어여쁜 채송화, 수줍어하는 소녀처럼 필 듯 말 듯 빗방울에 젖어 수줍듯이 해님을 기다린다. 혼자는 외로워 하나둘이 모여 함께하니 더욱더 어여뻐라 뽐내고 있다.

채송화야!

어여쁜 채송화야!

장대비에 맞아 아프지 않니?

채송화야! 채송화야!

장대비 속의 네 모습이

너무도 대견하고

내 어릴 적 추억

옛 노래가 생각나

나도 모르게 미소 짓는다.

## 7. 커다란 나무 그늘

걷다 걷다 지쳐
내쉬어 갈 곳
커다란 나무 그늘이 보인다.

병원에서 약 한 봉지 타서 들고
걷고, 지치고, 더워
말없이 쉬어가라는
커다란 나무 그늘
그 아래 돌의자 위에
내 몸 하나 걸쳐 본다.

들판에 제각기 핀 꽃들이
눈에 들어온다.

들꽃들은 아름답고 이쁜데

나이 들어 늙어가는 모든 것들은

어여삐라 하지 않는다.

내 쉴 곳,

커다란 나무 그늘

## 8. 아침을 깨우는 소리

무덥던 여름도 이제는 가을 앞에 계절을 바꾸려 하나 봅니다. 아침이 되면 풀벌레 소리가 귓전에 들리고 가을이 성큼 오는 것을 느낍니다.

아침 햇살이 창문 사이로 비추고 나의 정원에 피었던 수줍은 채송화, 야생화, 초화와 이름 모를 꽃들이 아침을 준비합니다. 잠들었던 꽃들은 하나둘씩 닫혔던 봉오리를 열어 핍니다.

어느새 꿀벌들은 내 허락 없이 꽃들을 찾아 살포시 앉아 꿀을 빨아 먹습니다. 이리저리 자리를 옮겨 다니면서요. 도시지만 제가 가꾼 화단과 앞의 나무는, 가을을 상징하듯이 푸른 대추 알이 알알이 맺혔습니다.

헤르만 헤세의 "인생에 주어진 의무는 그저 행복해지라는 한 가지 의무뿐, 우리는 행복하기 위해 세상에 왔지? "라는 말처럼 누구나 행복의 권리는 있습니다. 사소한 것에 저처럼 행복해하고 즐거워하듯이 말입니다.

## 9. 기다림

삶은 기다림에 연속이다.

누군가를 기다리고

누군가를 생각하고

시곗바늘만 쳐다보고

기다림에 시간을 맞춘다.

오늘 또 내일 기다림이다.

하루를 시작하는 것도 기다림의 연속이다.

새벽부터 눈을 뜨고

떠오르는 태양을 보고

오늘 하루의 내 기다림이

시작된다.

기다림! 기다림! 우리네

인생은 무한 질주 기다림에 시작이다.

기다림은 힘들다가도

기다림에 보람은 기쁘다.

행복한 기다림도 있고

슬픈 기다림도 있다.

오늘은 어떤 기다림이

나를 설레게 할까?

## 10. 권이의 '방랑의 삶'

어느 한 남자가 태어나 인생을 열심히 앞만 보고 삶을 살아갑니다. 한 남자는 인생이 방랑자처럼 가족을 위해 홀로된 삶을 선택도 아닌 선택으로 인생을 살아갑니다.

한 남자의 넓은 어깨 힘찬 목소리 언제 들어도 반갑고 웃음을 줍니다.

한 남자 뒷모습은 왠지 안쓰럽고 안타깝습니다.

한 남자는 어느새 중년을 향해 달려가고 있습니다.

한 남자가 방랑 삶을 사는 동안 행복한 열매는 가족이었다고 한 남자는 말없이, 말없이 이야기합니다. 오늘도 열차에 몸을 실어 목적지 위해 달려가면서 말 없는 한 남자의 외침이 아~~~~~~~~~~~.

삶의 절규가 느껴집니다.

끝은 어디일까?

끝없는 한 남자의 여행이 시작됩니다.

삶의 여행

## 11. 웃는 얼굴

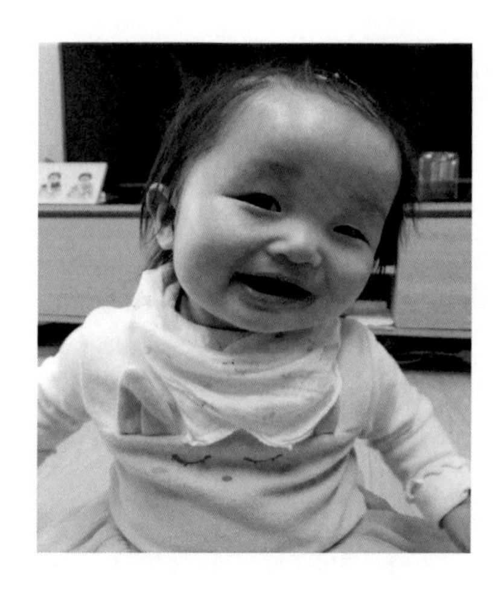

오드리햅번
“나는 나를 웃게 하는 사람들을 사랑한다.”

솔직히 내가 가장 좋아하는 것은 웃는 것이다.
웃는 것은 수많은 사람, 질병도 치료해 준다고 한다.

## 12. 문어숙회

낚시해서 직접 잡아 온 문어. 굵은 소금을 넣고 빡빡 문지르고 미끄러운 분비물을 깨끗하게 닦아 펄펄 끓는 물에 문어를 머리가 하늘 보게 넣고 삶는다.

삶다가 다리는 어느 정도 익으면 잘라 꺼내고 머리는 익게 둔다. 꺼낸 다리는 찬물에 씻고 얼음물에 다시 한번 담갔다 꺼낸다.

문어의 특유한 향, 식감, 신선함이 절로 느껴진다. 직접 내가 잡은 문어라 더욱더 맛있고 신선하고 예쁘게 데코레이션 하는걸 좋아해 한결 식욕을 불러일으킨다.

'난' 예쁘게 장식해서 사진 찍고 인스타 올리고, 이렇게 장식한 음식을 먹는 가족도 행복의 미소가 떠나지 않는다. 보기 좋은 떡이 맛있다고 음식도 그냥 보다는 예쁘게 해서 먹음 더욱 맛있는 것 같다. 행복은 부자여서도 아니고 평평한 일상에서 느끼고 살아가는 것이다.

# 13. 쑥 개떡의 추억

봄이라 산에는 꽃들이 만발하고, 날씨는 너무도 화창하고, 나뭇가지에 지저귀는 새들 소리가 더욱더 아름다웠다. 산에 올라 맑은 공기 푸른 초원을 보면서 산에 쑥이 너무도 많아서 쑥을 뜯었다.

집에 갖고 와 쑥 된장국, 쑥 개떡을 해 먹으려고 멥쌀을 물에 담가 불리고 건져 바구니에 담고 쑥은

삶아서 물기를 빼고 방앗간에 가져가 가루랑 같이 빵 구웠다. 뜨거운 물로 밀반죽을 해서 만들어
솥에 찌었다. 옛날에 엄마가 해주신 그대로 엄마의 그 맛은 아니지만 그래도 개떡을 먹으면서 지금은 하늘나라 계신 엄마가 그립고 보고 싶다.

학교 다닐 때 쑥을 뜯어 개떡을 만들어 주시던 그리운 엄마!

어릴 적 추억이 나한테는 있는데 지금에 내 자식들한테는 '엄마!' 하면 '어떤 추억이, 무엇이 있을까?'

## 14. 갈매기

푸른 하늘을 높이 날아오르는 갈매기

멀리 높이 시선 집중

갈매기의 시선은 어디일까?

# 15. 대추차 한잔

따뜻한 차 한잔을 마시며
창밖의 시선이 눈에 들어온다.

가을의 시선 낙엽 수레를
끌고 가는 어느 노인의 시선이
내 시야에 들어온다.

잔잔한 음악이 귓전에 감미롭게
들려오고 따뜻한 대추차
한잔이 이 가을 가슴 시린
내 맘을 따스하게 채워준다.
살아가면서 운명이 있다.
누구나 피해 갈 수 없는 운명
그동안 산 날보다 앞으로의
피하지 못할 운명
그것은 삶의 끝자락이다.

차 한 잔이 많은 생각을 하게 한다.
부질없는 욕심으로 미워하고
부질없는 욕심으로 질투와
끝없는 욕망으로 얼마나 인생이
무상한지를~~~~

차 한잔 속에 모든 걸 지금 순간은

내려놓고 싶다.
욕심도 미움도 삶의 굴레에서
질경이 풀처럼 엉켜 버렸던
삶의 굴레~

사람은 누구나 후회하면서 산다.

후회 없는 인생은 없다.
살면서 깨닫고 철학을 깨닫는다.

## 닫는글

글은 표현의 자유라는 말이 있습니다.
제가 이 글을 처음부터 끝까지 마칠 수 있었던 것은 한희 선생님을 비롯해 함께 글을 쓴 동료분들이 있었기 때문입니다.
처음 보는 분들이라 처음은 어색하고 쑥스러웠지만 우리의 마음은 하나, 나를 발견하는 글쓰기가 있었기에 승리할 수 있었나 봅니다.
끝까지 '나, 자유'라는 글을 마칠 수 있게 힘과 용기를 주신 한희 선생님께 진심으로 감사 드립니다. 앞으로 새로운 글, 새로운 모습으로 즐겁고 신나는 현재의 글들을 써보고 싶습니다.

선생님! 함께 고생했던 동료분들께 다시 한번 진심으로 감사드리고 고맙습니다. 덕분에 제가 여기까지 올 수 있었습니다.

다섯 번째 자유

## 이지영

불필요한 힘을 빼고
몸과 마음이 이완된 삶

\- 이지영

# 여는 글

"참나리가 자라면 절대 안 뽑아요.

거기서 자라고 싶은가 보다라고 생각해요.

그래서 저기 먼 곳까지 뻗어나가죠."

-다큐인사이드 〈인생정원〉 중에서-

들꽃 정원을 가꾸시는

할머님 말씀에 가슴이 몽글해졌다.

장미나 튤립을 줄 맞춰 심은

인위적인 정원이 아닌

벌개미취, 참나리, 술패랭이 같은 꽃씨가

바람 타고 날아 온대로 자리 잡고 자라는

들꽃 가득한 정원을 보며

자연 그대로의 모습이

가장 아름답다는 생각이 든다.

예쁜 모습을 만들기 위해

가지치기를 하는 글이 아니라

자연스럽고 진솔한 마음을 담으려 노력했다.

# 1. 요즘 나는

좋아하는 것을 찾아 함으로써

좀 더 나다워지는 일상

## 2. 추억은 힘이 없어

시간은

소중한 추억도

오래된 티셔츠 원색 그림처럼

색 섞이고 경계도 흐려지게 만들겠지

사랑하는 이의 옆에

살아 꿈틀대는 현재가 아닌

빛바래고 희미해진 기억이고 싶은 이가 어디 있을까

그리움은

한여름 세상의 모든 선명함 속으로

왈칵 쏟아지는 뙤약볕 같다.

아스팔트에 반사되는 빛으로도 아득해져

가던 길을 멈추면

나를 둘러싸고 있었던 사물은

일순간 색을 잃고 무채색으로 바래지다
종래 형체마저 없어진다.

누군가
그 반사광 속에 오롯이 서 있는
내 어깨를 톡톡 두드린다.
뒤돌아 보면
줄지어 따라왔던 아련한 추억은 순간
은비늘 반짝이며 내 안으로 파도쳐 들어 와
한동안 가슴 속에 일렁인다.

파도가 지난 간 그 자리에
다시 주위의 사물들이 우뚝 서고
채도가 입혀지면
난 다시 가던 길을 가겠지

추억은

햇볕 내리듯 쏟아져 들어와

가던 길 멈추고 아득해져

그때의 우리가 그리워

가슴 먹먹해지며

눈물이 핑그르르 돌지만

가던 길을 돌리진 못해

현재를 바꿀 만큼의 힘은 없는 거야

## 3. 수영을 하면서……

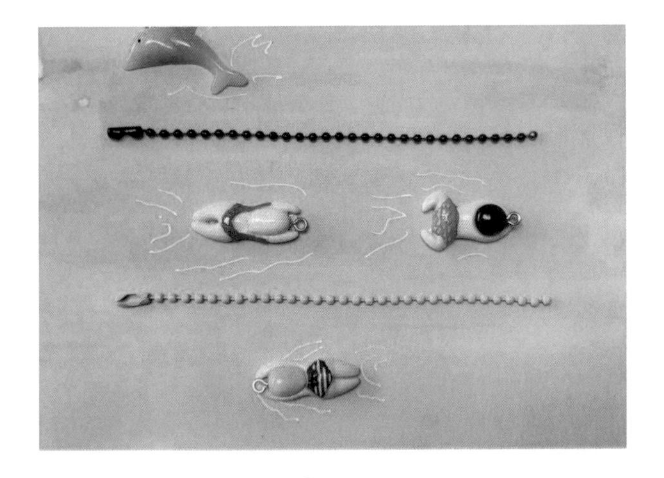

“가부좌를 튼 채 열반에 든 스님 다리처럼 굳었어요.”

정형외과 의사에게 들은 충격적인 진단 결과였다. 코로나로 인해 2년여간 운동 공백이 생기면서 고관절 통증이 시작되었다.

“근육의 가동 범위를 다 사용하지 않으면 몸에 통

증이 와요."

인생 선배들이 먼저 겪었던 오십견도, 어느 날 아침 찌릿한 고통으로 나를 앉지도 걷지도 못하게 했던 고관절 통증도 이 같은 원인이라 했다.

운동을 시작해야만 했다. 팔, 다리 근육을 많이 쓰면서 관절에 최대한 무리 가지 않는 운동을 찾아보니 수영이 적합했다. 코로나 이전에 내가 했던 운동은 시간 날 때 천천히 일상복 차림으로 백운호수 둘레길 산책 정도였다. 이마저도 이 일 저 일 핑계로 미루기 일쑤였다. 수영복, 수건, 세면도구 등 챙겨야 할 것도, 운동 전후 씻고 머리 말리는 등 과정도 많은 게 수영이다. 번거로워 최대한 피하고 싶었으나 이 게으름이 몸을 망가뜨리고 있으니 더 미룰 수 없어 바로 등록하고 시작했다,

수영은 참 이상한 운동이다. 빨리 가려고 욕심을 부릴수록 느려지고 가라앉는다. 느긋하게 가려고 팔다리를 천천히 움직이면 생각보다 속도가 붙는다.

아이러니하게 무엇인가를 잘하려고 하면 긴장하게 되어 몸에 힘이 들어가서 근육이 경직된다. 그러면 몸이 가라앉고 물의 저항을 많이 받아 느려진다.

이런 이유로 수영을 하면서 최대한 몸에 힘을 빼고 천천히 가려 노력한다. 예전에 80대로 보이는 분들이 근육이 얼마 없으실 것 같은 왜소한 몸으로 죽 끓일 때 눌어붙지 말라고 주걱으로 가끔 휘적휘적 젓듯이 가는 둥 마는 둥 천천히 수영하시던 생각이 난다. 그분들은 한 시간 내내 쉬지 않고 25미터 수영장을 50바퀴 이상 왕복하신다. 당시 한 바퀴도 돌기 힘들었던 젊은 나는 그 지구력의 원천이 궁금해 유심히 관찰했었다.

몸과 마음은 연결되어 있으니 마음에 힘을 빼면 몸에 들어간 불필요한 힘도 빠지지 않을까?

마음에 힘을 푼 사람들은 여유가 있다. 너무 간절하거나 완벽주의가 되면 마음에 힘이 들어간다. 그 때부터 긴장해서 몸이 굳어지고 머리의 회로도 꼬여

뚝딱거리게 된다. 빨리 가고 싶다는 욕심을 덜어내고 허공에서 허우적대듯 세월아 네월아 둥둥 떠가시는 할머님들처럼

'그런가 보다'

'그럴 수도 있지'

'아니면 말고'

생각하는 여유가 마음의 근육을 키우는 게 아닐까? 지구력의 원천도 마음의 힘에서 나온다는 걸 느낀다.

# 4. 산책

백운호수를 통과하는 바람이 시원했다. 호수 가장자리 바위에 부딪히는 물소리가 경쾌했다. 긴 나무 데크길 소멸점에서 손잡고 걷고 있는 노부부의 모습은 정겨웠지만 인생길 끝을 걷고 있는듯해서 먹먹했다. 한참을 걷다 보면 데크 안쪽으로 마련되어 있는 쉼터에서 새어 나오는 담소가 제법 무거워 호수 수면으로 가라앉았다.

가을을 향해 가고 있는 벼 이삭이 노오란 빛을 머금고 있었다. 바람이 수풀과 내 가지런한 머리칼을 어지럽히고 있는 동안, 온 길을 되돌아보니 누군가가 내가 지나온 길을 뒤따라 걷고 있었다. 바람이 사정없이 벼의 머리를 흔들었고 새들은 무리 지어 벼 위로 날아올랐다.

오후를 지나는 늦여름 태양은 뜨거웠다. 지나온 데크 길이 끝나고 논두렁을 지나면 중간에 출구 없이 긴 새로운 데크 길이 나온다. 새로운 시작 앞에서 선택의 기로에 선다. 온 길보다 더 길게 남은 출구 없는 길을 갈지, 온 길을 되돌아갈지 몰라 한참을 그 자리에 서서 호수 바람을 맞았다.

중간에 출구 없는 길을 가야 한다는 건 공포다. 선택한 길에 확신이 없어져도 더 가고 싶지 않아도 그 길이 끝날 때까지 걷고 걸어야 한다는 건 어쩌면 인생과도 닮았다. 자신이 선택한 것에 어떠한 대가를 치르더라도 끝까지 가야만 하는……

난 선택지에서 한참을 바람을 맞다 되돌아왔다. 되돌릴 수 있는 곳에 있는 걸 감사해하며....

오는 길에 마음껏 바람과 파도의 노래와 햇볕을 즐겼다.

## 5. 달콤 쌉싸름한 게 좋아.

'서른아홉'이라는 드라마를 방영했었다. 요즘은 좀비, 귀신을 소재로 하는 스릴러나 액션 등 내 취향이 아닌 드라마가 주를 이루고 있다. 일상을 소재로 하는 로맨스를 좋아하는 나는 당시 이 드라마를 기다렸었다. 젊은 시절 영화 '클래식'을 몇 번씩 보고 그 영화 ost를 mp3에 다운로드해서 듣고 또 들었던 나로서는 그 드라마의 주인공이 젊은 시절 '클래식'을 찍고 20년이 훌쩍 지나 완숙한 삶을 이 드라마에 담았다고 내 맘대로 설정을 해놨었다.

20대 철부지 때 결혼하고 아이를 낳아 키우다 보니 어느새 중년이 되었지만 20년 동안 반추와 성찰과 배움을 통해 내 인격이 깊어진 것이 아니라 여전히 난 미성숙한 철부지인 채 나이만 찬 50대가 된듯하다. 내 커리어를 키우고 직업적으로 성장한 게 아니라 다람쥐 쳇바퀴 돌 듯 반복되는 일상을 20년 동안 살았던 것 같다.

하지만 가장 소중한 아들이 태어나고 자란 시기라 내 인생에서 가장 의미 있는 때이기도 하다. 다만 '서른아홉'이라는 드라마를 통해서 나와 다른 삶을 사는 사람들을 보면서 대리만족을 꿈꿨었나 보다. 현실에는 부족한 과한 달달함과 극적인 전개, 아름다운 배경 등……

하지만 그 드라마는 예상과 달랐다. 여성 절친 3명 중 한 명이 시한부 판정을 받고 죽기 전까지의 과정을 그려간다. 우울한 것 같은 전개에 보는 내 마음도 어두워질 것 같아 더 이상 그 드라마를 이어 보지 않았다.

20대에는 뻔한 스토리, 결말, 비슷비슷한 소재의 영화보다는 독립영화, 대중적이지 못해도 독특한 소재의 예술적인 영화를 더 찾아서 봤다. 새로운 것이 주는 신선함이 예술영화 특유의 지루함을 견디게 했다. 또한 다양하고 새로운 삶을 영화를 통해 경험하고픈 욕구로 영화 속 인물들이 경험하는 험난한 삶, 힘든 감정 상태 등을 공감하는데 에너지를 썼다. 세상과 사람에 경험이 부족한 나에게 영화는 내가 경험하는 세상이었고, 내가 만나는 사람들이었다.

20년이 지난 지금, 스트레스를 받으면 체하는 신경성 소화불량을 달고 살고 있다. 불쾌하고 스트레스를 받는 간접 경험은 피하고 싶다. 인간관계도 내게 소중하고 의미 있는 사람들에게 집중해서 부족한 에너지를 쓰고 싶다.

어린 시절 내 경험의 폭을 넓히는 수단으로 영화와 드라마를 봤다면 지금은 녹록하지 않은 삶의 확장판인 영화를 보며 고통을 연장하기보다 현실과 다른 평온하고 행복한 로맨스가 있는 드라마나 영화를 보며 현실의 고충을 잊고 위안과 평안을 얻고 싶다. 그 시간만큼은 내 삶에 달달함 한 스푼 얹고 싶다.

'달려서인지 들떠서인지 아리송한 숨이 찼다.
바람이 불어와 초록의 잎사귀들이 몸을 비볐다.
여름의 한가운데였다.'

-드라마 〈스물다섯, 스물하나〉 중에서-

'여름 한가운데'였던 빛나던 시절,
매 순간이 축제 같았던 때를 상기시키며
가을을 지나고 있는 내 삶에

싱그러움 한 꼬집 추가해 본다.

현실이 달달하고 평온하면

쌉싸름한 영화를

힘들고 쓰기만 한 일상이라면

달달함을 영화나 드라마를 통해서 내 삶을 조미해 본다.

# 6. 내소사에서

능가산 자락 끝

그 산의 크고 작은 생명과

호흡을 같이 했던 600여 년.

어느덧 자연의 일부가 된 내소사

들풀이 수만 년 전에 내뱉었던 호흡,

이름 모를 들꽃 향이

대웅전 코 끝 공기 속에 머무르며

주춧돌과 서까래,

아름다운 꽃무늬 창살에 배고

천년 느티나무 어깨 위,

그 옆 고요 속에

살포시 내려앉아

세월과 더불어 층층이 쌓였겠지.

풍경을 느낀다는 건
태곳적부터 그곳에 잠시
혹은 오랫동안 존재하다 사라지면서
때론 공기 중에 남고
때론 범종에 배었을
생명의 흔적이 켜켜이 쌓아져
고요로 자리 잡은
세월도 같이 보는 것이리라.

다람쥐 기척과
바람이 흔들어 놓은 잎새들 몸짓이
가끔 졸고 있는 고요를 깨울 뿐
자주 몰아내지 않아 한 층 더 깊이 쌓였을
능가산 풍경을 감싸 안은 적요가 아름답다.

고요가
이름 모를 풀들을 키워내고

작은 소리로도 미세한 존재를 드러나게 하고

보아주는 이 없어도

자신을 발견하게 했겠지.

자신을 둘러싼 고요를 즐긴다는 것은

가만히 자신을 들여다보고

가장 나답게 살아가는 일일 거야.

자연스럽게 살아가는

내 삶의 사고와 호흡과 웃음이

앞으로 올 생명들과도 이어진다는 것을...

내 마음 깊숙한 곳에도

능가산이 품은 내소사와 같이

정갈하고 고요한 풍경이 자리하길.

## 닫는 글

지리했던
여름 끝에서
평범한 일상 속
소박한 삶의 경험과
특별하지 않은 생각을
곶감 꿰듯
하나하나 엮어
화창한 가을볕
처마 밑에 걸어 본다.

# 하정

거기서 기다려
내가 갈게

- 하정

## 여는 글

어쩌다 덜컥 이 세상에 몸을 받아 하고 싶은 일도 많았다.
그중 글 쓰는 일이 뒤늦게 터졌나 보다.
1편에서 감사와 그리움에 젖었다면
2편에서 슬픔·기쁨·분노·까칠함·소심함을 꺼내 보았다.
뻔한 세상에서 뻔한 이야기를 보태는 것은 아닌지 조심스럽지만,
내안의 숱한 나와 오롯이 만나는 경험이 되었으면 한다.

## 1. 마당 깊은 집

종일 기계 돌아가는 소리
마당에 널려있는 쇠붙이들
철공소 직원까지 시끌시끌
산만하던 곳

장마에는 아궁이에 물폭탄
부엌에 떠다니던 바가지 대야들
너나없이 궁핍하던 다섯 가구가
그만그만하게 살며 북적대던 곳

지금은 살 수 없을듯한 그곳으로
피아노도 있고 식모도 있던 친구들이
시험공부하자고 찾아와
부끄러워 볼 빨개지던 곳

가장 먼저 그곳을 탈출한 아버지는
부자가 되어가고 있었나 보다.
소원이던 내방이 생기고
정원이 있는 주택으로 이사를 하였으니

엄니와 삼 남매는 셋방살이를 벗어났으나
엄니는 여전히 부업을 놓지 않았다.
부자는 아버지만의 특권으로
우리와는 별개의 삶을 누리고 있었으니

아버지의 마당 깊은 집의 탈출로 얻은
잠깐의 행복은
멀어져 가는 아버지의 뒷모습으로
마음이 가난한 시절을 보내게 되었으니

## 2. 빼기

아버지가 어린이용 영양제 에비오제를 들고 오셨습니다.
맛이 고소하니 꽤나 매력적이었습니다.
이튿날 약통을 들고나가 동네 아이들에게 나누어 주고 들어왔습니다.
혼났는지 맞았는지 기억에 없으나
그 후로 다시는 에비오제는 보지 못했습니다.
어려서부터 뭐든지 들고나가 나누어주는 걸
좋아했습니다.
이순이 넘도록 남의 입에 밥 들어가는 일이 흐뭇했습니다.
맛난 음식 만들어 손에 들려보내는 일이 신났습니다.
마음에 마음을 더하고
마음에 마음을 보태고

한 번쯤은 빼오고 싶었습니다.

마음에서 마음을 빼는 일.

보탠 만큼 꺼내오는 일.

아마도 난 빼기도 못하는 웃자란 어른인가 봅니다.

### 3. 일광욕

축축하게 늘어진 기억들
시큼하게 변질된 생각들
모조리 꺼내어 꼬들꼬들
말리고 싶다

키우다 만 꿈들도
자라다 만 희망도
모조리 꺼내어 꾸덕꾸덕
말리고 싶다

땡볕 아래 새들새들
바람 만나 생글생글
말리고 싶다

내장도 풀어내고 키득키득

줄지어 꿰어져 건들건들
발가벗은 오징어처럼

홀딱 벗고 반질반질
말리고 싶다

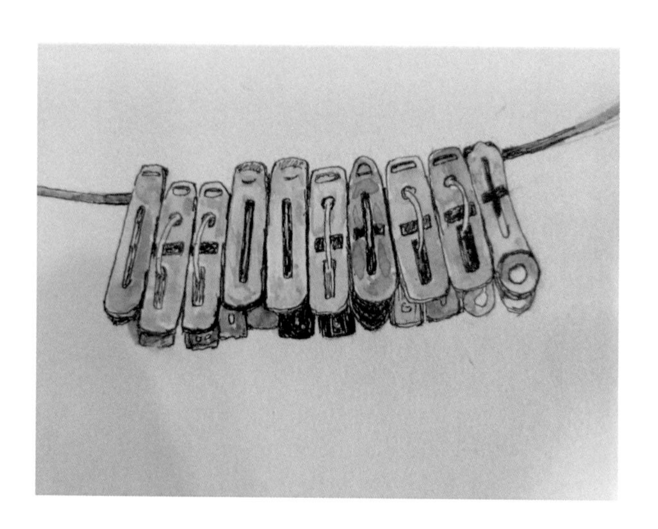

## 4. 세월

젊어서는 맘이 아프고

늙어서는 몸이 아프네

어려서는 생각이 많고

나이들어 비움이 많네

청춘에는 그립더니

황혼에는 외롭구나

## 5. 고비

스물엔 사랑이 다였다
죽을 것 같았다

마흔엔 돈이 다였다
미칠 것 같았다

예순엔 건강이 다였다
못볼 것 같았다

## 6. 인생(人生)

청춘은 미래가 안보여 아프다

노년은 미래가 잘보여 아프다

여기든 저기든 인생은 아프다

## 7. 얼음꽃

이별의 아픔으로 피는 꽃
처절한 인내로 피는 꽃
뽀오얀 속살 드러내며
눈물로 피는 꽃

스스로 찬란한 보석이 되는 꽃
지상에서 천상으로 승천하는 꽃

마침내
미소 짓는 꽃

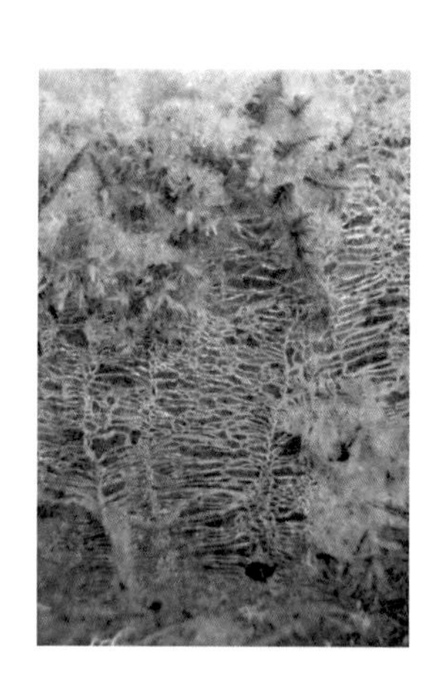

## 8. 미련

헤어졌지만
헤어나지 못하고

보냈지만
보내지 못하고

떠났지만
떠나지 못하고

## 9. 모순

사랑타령 무섭다고
내뺀 사내가
오랜만에
초라한 모습으로
다 버렸다고
평상심 찾았다고

웬걸
알고 보니
애신의 사랑을
훔쳐먹고 있더군요

*애신: 드라마 '미스터,선샤인' 여주인공 이름

## 10. 생몰(生沒)

없던게 생겨나는건 신비롭다
어디서 왔을까

있던게 사라지는건 신기하다
어디로 갔을까

아들 녀석이 그렇게 오고
동생 녀석이 그렇게 가네

## 11. 두레박

평생 퍼올리던
사랑의 두레박
애초에 두레박에 무엇도
담을 수 없다는 걸
동생은 알아버렸을까

훠어이 훠어이
먼 길 떠나며
두레박에 무엇을
두고 갔을까

우물에는 물이 없었다
우물에는 사랑이 없었다

## 12. 내편

손만 잡아도 내편인 것을
손만 잡아도 아픔인 것을

님이면 어떻고
남이면 어때요
온 적이 없는데
간 적이 있나요

님보다 못한 남
남보다 못한 님

## 13. 상처

아프라고 있는건지
감싸라고 있는건지

덧나라고 있는건지
아물라고 있는건지

꿰매라고 있는건지
덮으라고 있는건지

있는건지 없는건지
잊는건지 숨는건지

1950
한국전쟁
폭격
THE COLDEST WINTER
콜디스트윈터
KOREAN WAR 한국전쟁
한국전쟁
6.25 전쟁 1129

## 14. 당신

몇날며칠水國으로떠밀려갑니다
하루종일한마디도안합니다
손으로병뚜껑도따지못합니다
책보다파라핀치료도합니다
오십견때문열중쉬어도못합니다

거실창을함부로두들기는빗줄기
멍때리기로한나절도금방갑니다
강상련으로피어날까요
옥중화로피어날까요
水國으로가는어디쯤에서
당신을만날까요

1호차
의왕
KIA
신협
사7130
23. 5. 11

## 15. 장독대

엄니의 장독은 늘 반질반질 윤이 났다.
어둑어둑 비를 몰고오는 바람 불어와도
엄니의 장독 닦기는 하루도
거른 적이 없다.

엄니 자신의 生에
덕지덕지 내려앉은
恨을 닦아내듯
서걱서걱 문질러댔다.

졸막졸막 돌아앉아
고개 숙인 돌멩이 사이로
엄니의 젊고 야윈 모습이 숨어있다.

## 16. 독수공방(獨守空房)

엄니처럼 살기 싫었어

엄니처럼 살고 있었네

## 17. 동병상련(同病相憐)

엄니는 죽어 살썪고

딸년은 살아 애썪고

## 18. 꽃신

엄니는 꽃가마 타고 시집가고 싶다 했습니다
엄니는 꽃상여 타고 저승가고 싶다 했습니다

어느 것도 엄니 차지는 아니었습니다

아들이 있어 만장을 쓸까요
사위가 있어 상여를 맬까요

꽃신이라도 신고 가시어요

## 닫는글

글을 쓴다는 것은

몸에 박힌 크고 작은 총알을

빼내는 일이라 생각한다.

적지 않은 세월 동안 알게 모르게

박힌 총알도 건드리면 아프다.

따끔거리고 시큰거린다.

글 하나에 총알 하나,

그림 하나에 총알 하나,

하나 하나 꺼내다 보면

내안의 숱한 나와

화해하는 날 오지 않을까.

용서하고 용서받고 싶다.

바람처럼 구름처럼

걸림 없고 싶다.

가벼워지고 싶다.

또 다른 자유

# 박민수

## 무수한 모습의 나를 봐

- 박민수

## 여는 글

무수한 모습의 나를 봐
어떤 날은 미소 짓는 내가 있고
때로는 눈물 흘리는 내가 있어

나를 맞바라보며
내 속의 다양한 나를 만나고
한편으로는 또 다른 나를 찾고 있어

내 꿈들
하나둘씩 현실과 만나
하나로 둘로 된 두려움으로 날 가두기도 하지만
요즘은 용기 있는 나로 만들어

내 속엔 내가 너무 많은 나
나눠진 조각들이 나를 이루고

맞혀지는 나의 모습들은

내가 어디에 있는지 깨닫게 해줘

# 1. 눈물

한 줄기 빛이 내려오는 창밖으로
눈물 하나하나가 비밀스럽게 떨어지면
문득 마음에 스미는 날을 기다릴 때처럼
담아두기엔 아픈 이야기가
소리 없이 흐른다.

이런 날이면 아픈 눈물은 불안한 밤을 적시고
가슴 깊이 새겨진 추억들은
슬픔에 깨지고
바람에 부대기며
희미해진 청춘의 하루같이
떠나온 시간을 멈춰
내가 어디에 있었는지
하나둘씩 이별시킨다.

그런 눈물은 또 기억에 번져
내게서 무심코 점점 더 멀리
비어가듯 잊혀져 간다.

## 2. 첫 빛

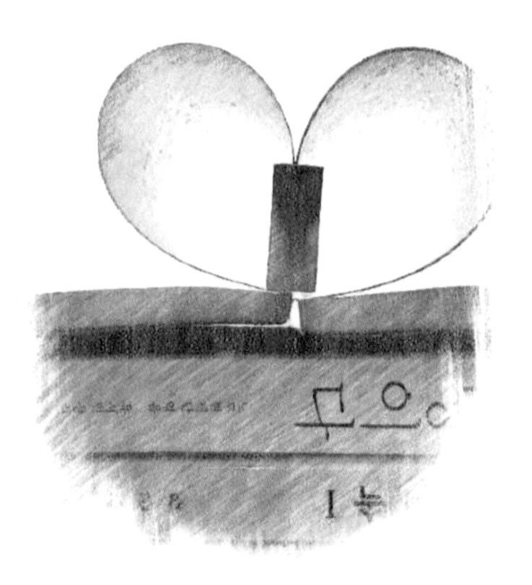

한 송이의 꽃처럼 미소를 피우던 고요한 밤,
별들이 밝히는 얼굴이 있다.

바람은 또 다른 이야기를 풀어내며

순간의 시간을 쉬어 가게 한다.

울음 날개가 하늘을 휘저어 가고

향기 나는 파도가 머릿속에 밀려오면

한없이 깊어지는 어둠 속에

따뜻하게 감싸 안아주던 내 사랑이 있었다.

사랑은 새벽의 첫 빛으로

별빛 희망처럼 녹아 흘러 기억으로 남아 있고

추억은 지워지지 않는 또 하루처럼

흘러가는 그 길 위에서

새가 되고

별이 되고

아름다운 꽃이 되어

바람을 고요히 잠들게 한다.

## 3. 바람

나그네의 꿈처럼

사라져 버린 비처럼

바람에 던져진 고독은

마른 가지처럼 내 일상에 남아 있다.

내가 나를 만나는 그곳에
바람은 가벼운 속삭임으로 위로하고
때로는 격렬한 폭풍으로 울린다.

내가 너를 만나는 그곳에
바람이 이끄는 대로 날아가면,
세월에 담긴 아름다움과 아픔이,
바람이 알려주는 것처럼 흩어져 있다.

모여진 바람이 알려줄까?
멀리 있지만
바람이 불면 덜 외롭게
날개를 펴고 다시 너를 마주하고 싶다.

## 4. 혼자^^

혼자라는 게 편해?

자유로운 선택과 시간

방해받지 않는 공간

구속도 없고

마음이 편안함으로 가득 차오르는 순간이 있어.

사람들의 소리가 멀어지고

나도 그들과 멀어진다.

지나가는 사람들

그 속에서도 나만의 시간과 공간을 느낄 수 있어.

혼자라는 게 왠지 따뜻한 안식처가 되고,

나만의 생각과 꿈을 품어볼 수 있는 곳이 되어줘.

혼자라는 순간에 나의 내면과 마주하며,

마음의 소리를 들어보고

혼자일 때 느껴지는 그 특별한 감정,

나만의 작은 세상에서 감동이 피어나길 바라지만

빈 종이에 미운 사람 이름만 가득 쓰게 돼.

혼자일 때 느낄 수 있는 평온한 고요함,

그 속에서 찾아오는 작은 감동들

세상의 소음을 떠나 나만의 세계에 빠져들면,

혼자라는 시간이 감동으로 가득 차올라.

봄의 신비한 풍경도, 여름의 끝없는 더위도,

가을의 은은한 멋도, 겨울의 차가움도 느껴

모두가 변해가는데, 난 야위어 가.

## 5. 또 다른 나로 나아가

작은 숨결 하나로 시작한 날

세상을 감싸는 풍경이 되고

시간은 새로운 모습으로 나를 안아

또 다른 나로 연결되는 길 위에
무지개처럼 다채로운 희망이 묻어나고
손을 뻗어 닿은 꿈들은 끝 없는 하늘을 향해
마음의 날개를 펼치며 나아가

때론 두려움이 서린 길 위지만
앞으로 펼쳐질 모든 순간에
또 다른 나로서
먼 곳의 빛을 따라서
함께 또 다른 나로 나아가려 해

내가 그려내는 작은 이야기가
만져주는 따스한 바람 소리에
끝없는 세상을 채우는 소중한 노래로
또 다른 나로 남아주기를 바라면서

## 6. 가을 햇살 아래 그림자

가을 햇살 아래 그림자가 길게 늘어져
땅 위에 작은 이야기를 펼쳐놓고
나무와 꽃들은 옅은 빛에 물들어가며
시간의 흐름을 조용히 노래하고

가을 햇살은 부드럽고 따스하게
우리의 얼굴을 만지며 온기를 전해주고
그림자는 길게 펼쳐져 땅 위에
시간의 흔적을 남긴다.

그림자는 가을의 이야기를 전달하며
하루의 끝을 알리는 종처럼
울리는 음성은
지난 햇살에 인사하고
저녁의 나른함으로

가을 햇살 아래 그림자가
매일매일의 작은 순간들이 모아
하루하루의 우리의 삶을 그려내
우리 이야기로 보여준다.

## 7. 처음

처음이란 만남에 설렜다.

이런 일이 나에게, 정말 세상에 이런 일이?

믿을 수 없었지.

까만 연탄재처럼 색칠된 것 같은 네 얼굴이

내겐 왜 그렇게도 귀엽던지.

말도 잘 통하지 않는 나에게
잘 웃어 주고, 마음을 써 주는
그런 너를 난 하루도 지울 수 없었어.
네가 오는 시간에 맞춰
오늘은 널 어떻게 웃길까?
재미있게 해 줄 수 있는 일이 없을까? 고민했었지
중국어 공부는 뭐^^
그때는 내 안에 작은 꽃들이
무궁무진하게 피어 있었어.
하나하나 내 인생의 기억을 담고
순간순간을 아름답게 물들여
내 곁에 있어 주기만 바랬지.
그런데 우리 각자 다른 색을
지혜롭게 보아주지 못했나 봐
정말 미안해
이제 좀 지혜로운 어른이 되었나?
그 모든 모습을 사랑하며 살아갈게.

## 8. 한 사람의 빛나는 순간

한 사람의 눈빛이 세상을 밝히고

한 사람의 웃음소리가 마음을 따뜻하게 하며

한 사람의 손길이 어둠을 떨쳐내고

한 사람의 존재가 삶에 빛을 비춰

우리, 서로를 만나게 되었을 때

누군가의 손을 잡고 함께 걸어가는 그 순간

서로의 미소가 하나로 어우러져

새로운 세계를 만들어가는 것을 느꼈어.

한 사람의 힘이 세상을 변화시키고
한 사람의 사랑이 마음을 풍성하게 하며
한 사람의 노력이 불가능을 가능케 하고
한 사람의 꿈이 현실을 만들었지.

우리, 이제 각자의 길을 가면서
각자의 역할을 느끼고
서로에 대한 존중과 이해로
새로운 시작을 함께 축하하자.

너, 한 사람의 작은 소망이 세상을 밝히고
너, 한 사람의 따뜻한 마음이
우리의 모든 순간을 소중히 여기며
우리로서 빛나는 삶을 꿈꾸자.
고마웠어.

## 9. 눈빛의 비밀

눈빛 하나가 말하지 못하는 비밀은 없다.
감춰진 이야기가 있고, 감춰진 '이제부터'가 있다.
그런 눈동자는 세상을 비추며,
삶의 여정을 바라본다.

눈빛 하나가 만남과 이별을 거칠게 내뱉는 숨이 되고
순간의 감동과 희망을 나눠 호흡하게 한다.
때로는 어둠을 밝히는 등불처럼 빛을 내고

때로는 강한 바람에 흔들리는 나뭇잎처럼 떨고 있다

눈빛은 침묵으로 한 걸음 나아가며
말보다 진실한 이야기로 나를 엮는다.
사랑과 아픔, 그리고 감사함과 희망이 공존하며
한없이 넓은 세상을 눈빛 하나로 견디게 한다.

눈빛 하나로 기억해 서로를 알아볼 수 있고
마음을 나눌 수 있다
우리의 삶의 흔적과 기억이 절대 당황하지 않고
눈빛으로 서로에게 힘이 될 수 있다.

눈빛의 비밀은 아득하지 않으며
사랑과 이해, 그리고 따뜻함을 찾아갈 수 있다
눈빛이 만들어내는 감동은 언어로는 다 할 수 없는
특별한 이야기를 나에게 전해준다.

## 10. 웃음의 날개로

웃음 하나가 수없이 너의 이름을 불러
감춰진 행복이 피어나게 한다.
가슴에 퍼지는 따스한 햇살처럼
웃음은 함께 걷게 한다.

웃음 하나가 울지는 않을까 걱정이 되는
혼자를 그냥 내 버려두지 않는다.

다시 돌아온 밝은 미소를 띠며
소중한 순간을 기록하듯 낳는다

웃음은 달콤 마음이고
여기서 더 기다리면 볼까 하는
소중한 사람들과의 추억이 담겨 있으며
어디 있나요? 로 연결되어 기쁨을 나눈다.

웃음의 날개로 내 사람아, 내 사람아 하면
한 걸음씩 가까워지며 행복을 찾을 수 있다
웃음은 혹시로 시작하여
역시로 끝을 낸다.

웃음 하나하나가 소중한 처음이며
힘과 희망, 따뜻함을 찾을 수 있다
웃음은 어느 자리에서나
삶을 기다리게 한다.

## 11. 스마일 댄싱

나를 웃게 하는 사람

내가 웃게 할 사람

등을 톡톡 치며

코끼리처럼 크게 터져 나오는 웃음은

작은 폭발 같아서 주변을 밝히고

잎사귀처럼 가볍게 스치는 웃음은

마음을 따뜻하게 만들어 준다.

웃음의 화살은 모든 스트레스를 뚫고 가

어떤 어려움도 웃음으로 넘어가게 만들어

웃음은 마치 행복의 열쇠처럼

문을 열어주고 무한한 기쁨을 선물한다.

웃음의 향기는 꽃밭을 가득 채우며

웃음의 힘은 저리게 마음을 가볍게 하고

미소는 숨이 벅차오르게 감동을 주며

말뿐인 위로를 덮어준다.

## 12. 푸른 하늘

푸른 하늘 아래 펼쳐진 세상
넓은 하늘 아래 작은 나

하늘은 그림 같은 구름을 물들이며
끝없이 펼쳐진 공간에 나를 색칠한다.

푸른 하늘에 부는 바람은
따스한 미소로 나를 스치며
구름은 나의 상상을 바꾸며 지나간다.

하늘의 키에는 꿈과 희망이 자리하며
저마다의 이야기가 하늘 어깨에 녹아 들어간다.
푸른 하늘, 열린 도화지에
순수, 애정, 지혜, 풍족들을 그린다.

푸른 하늘 아래 나는 작지만
난 무한한 가능성을 품고 있는 존재
푸른 하늘은 보지 못한 세계와의 만남을 약속하며
나의 꿈을 위한 출발점이 되어주고
푸른 하늘 아래 나는 제2의 인생을 도전한다.

## 13. 순간

순간은 빠르게 흘러가는 시간의 조각
작고 소중한 순간들이 나의 삶을 이끈다.

순간은 감정과 기억이 얽히는 곳
눈물과 웃음, 감동과 희망이 교차하는 곳

순간은 어느 때나 내 곁에 있어
때로는 지나치게 빠르게 흘러가기도 하고

때로는 멈춰서서 오래 기억될 만큼
빛나고 또한 사라지지 않는다

순간들이 서로 엮여 나의 인생을 만들어가고
나는 순간들을 품고 살아간다.

순간은 진실한 삶을 만들어 주며
그렇게 흘러가며 나의 삶을 채운다.

## 14. 우리

우리는 함께 걸어가는 길 위에
마주하는 너는 어떤 표정 지을까?

우리는 서로의 곁에 있을 때
눈빛은 '나를 어떻게 생각하냐?'고 물을까?

우리는 각자의 이야기를 가지며
서로 느끼는 '사랑일뿐야!'라고 말할까?

우리는 함께 웃을 때
때로는 '너를 만나기 위해'라고 말할까?

우리는 서로를 이해하며
때로는 다투기도 하지만 항상 함께 있다

우리는 과거와 미래를 함께 만들어가며
오늘은 '대답하기는 힘들어'라고 말할까?

우리는 서로의 삶을 향해 나아가며
함께 하는 것이 얼마나 소중한지 알아간다.

## 15. 마주하는 모든 순간

마주하는 소중한 선물
시간의 흐름 속에서 귀중한 보물 같아

마주하는 기회와 만남
우리의 인생

마주하는 감동과 감사
서로를 이해하고 나누며 함께 하는 소중한 시간

마주하는 성장과 변화
새로운 경험과 배움으로 가득 차 있어

마주하는 기억과 희망
과거의 추억과 미래를 품고

마주하는 우리의 이야기
웃음과 눈물, 사랑과 이별이 얽혀 있어

마주하는 모든 순간은 우리의 삶의 책갈피
그 안에는 우리의 인생이 꽂혀 있고

마주하는 모든 순간을 함께 나누며
우리의 인생은 더욱 의미 있게 빛나게 한다.

마주하는 모든 순간을 소중히 여기며
삶을 가득 채운 사랑으로 만들어가야겠다.

## 16. 삶의 책갈피

삶의 책갈피는 순간들로 가득 차 있다.
작고 큰 순간들이 이야기를 만든다.

삶의 책갈피는 기억들로 채워져 있다
과거의 추억이 우리를 뒤돌아보게 하며 웃음 짓게 한다.

삶의 책갈피는 꿈들로 물들어 있다
새로운 시작으로 희망을 준다.

삶의 책갈피는 사랑이 있다.
가족과 친구, 연인들 그리고 나를 아는 사람들

삶의 책갈피는 도전과 성취로 가득하다.
어려움을 이겨내고 성장을 보여준다.

삶의 책갈피는 감동과 감사로 채워져 있다
소중한 사람들과 함께한 순간들이 우리의 마음을 따뜻하게 만든다.

삶의 책갈피는 눈물과 웃음으로 색칠되어 있다
시련과 기쁨이 어우러져 감동을 선사한다.

삶의 책갈피를 뒤적여보며
이야기를 기억하고 나를 둘러보자.

## 17. 기회와 만남

기회와 만남은 우리 삶의 빛나는 순간
새로운 시작과 인연을 안겨주는 선물 같아

기회는 손잡이
무한한 경로와 선택을 허락하며 기대를 하게 된다.

만남은 세계를 넓혀주는 문
새로운 사람과 경험을 통해 성장의 기회를 제공한

다.

기회는 때로는 미세한 신호로 다가와
우리의 주목을 끌고 단호한 결심을 요구한다.

만남은 우연의 꼬리에 달린 선물
때로는 우리의 삶을 깊이 감동시키며 기쁨을 전한다.

기회와 만남은 삶의 조각들을 모아
'너였다면'을 묻는다

기회와 만남을 탐험하며
우리는 더 많은 경험을 얻고 성장해 나간다.

기회와 만남의 순간을 소중히 간직하며
우리의 인생은 더욱 풍요로워진다.

## 18. 우연의 꼬리

우연의 꼬리는

의미 있는 만남과 사건들이 시작되는 곳

우연의 꼬리는

때로는 작은 일로부터 시작해서

큰 사건들을 불러올 수도 있고

우연의 꼬리는
선택, 의지와 얽혀
새로운 길을 찾게 하며 뜻밖의 경험을 주기도 해

우연의 꼬리는
이야기에 감동적인 장면들을 끼워 넣어
혼자 편집하는 삶을 살게 해

우연의 꼬리는
만나고 헤어지고
얼마나 원하고 있는지 알게 해줘

우연의 꼬리는
미처 생각지 못한 일
미래를 더욱 호기심 나게 해서
새로운 세계로 안내해 줄거야.

## 닫는 글

### 뜻밖의 이야기

뜻밖의 이야기는 내 삶의 열린 책장이다.
예기치 못한 사건과 만남들이 새로운 장면을 펼쳐준다.
뜻밖의 이야기는 우연과 운명의 만남이다.
내가 예상하지 못한 순간들이 나의 인생을 바꿀 수 있다.
뜻밖의 이야기는 나의 삶을 더욱 풍요롭게 만드는
의미있는 출발점이 되며 감동과 경험을 안겨준다.
뜻밖의 이야기는 예측불허의 전환점으로
나의 계획을 뒤집어 놓는데에도 불구하고 새로운 길을 열어준다.
뜻밖의 이야기는 어떤 날 나를 더욱 감동시키며
예상치 못한 감정들을 불러일으키며 나를 웃음 짓

게 한다.

뜻밖의 이야기를 받아들이며

나는 더 큰 열린 마음으로 세상을 마주하고 새로운 경험을 품는다

뜻밖의 이야기는 주재된 이야기가 아니다.

뜻밖의 이야기는 세상의 모든 벽과 장애물이 있다.

그러나 예상되고 정해진 삶이라면 의미가 있을까?

뜻밖의 이야기는 그래서 나의 삶이다.

풍요로운 삶보다 풍족한 나를 원했고

내 앞에 다가서는 어떤 일에도 두려워하거나 좌절하지 말자,

그리고 인생은 한 권의 책처럼

무궁무진한 이야기가 있다고 나 자신을 다독이며

지난해 '이 또한 지나가리'라는 말을 되뇌이며

한 해를 보냈다.

새롭게 시작한 한 해 '넌 어떤 사람이니?'로 살아가고 있다.

올해를 마무리하는 시간이 다가오고 있다.

나에게 내가 다시 묻는다.

행복하니?.

IF NOT NOW, WHEN.

.

.

그리고 다시 나 자신만의 꿈을 꾼다.

## 책을 마치며

한희

로버트 프로스트의 '가지 않은 길'이라는 시를 참 좋아합니다.

단풍 든 숲속에 두 갈래 길이 있었습니다.
(중략)
숲속에 두 갈래 길이 있었고, 나는-
사람들이 적게 간 길을 택했다고
그리고 그것이 내 모든 것을 바꾸어 놓았다고

당신이 선택한 이 길, '글 쓰는 삶'의 길이 당신의 삶을 바꿔놓았나요?
길 앞의 당신과 길 위를 걷고 있는 당신은 어떻게 다른가요?

# 당신의 자유

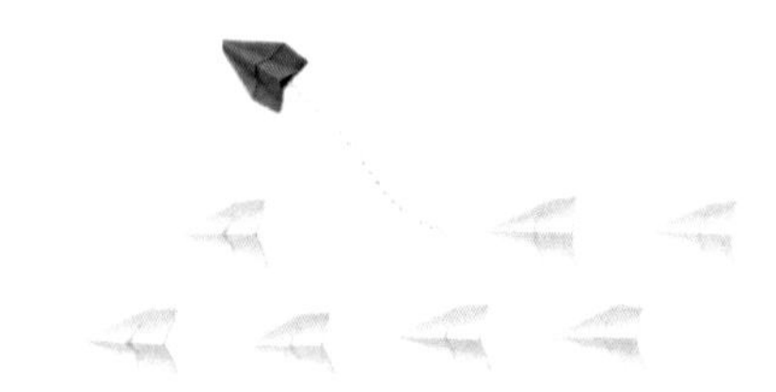